劉福春・李怡 主編

民國文學珍稀文獻集成

第一輯

新詩舊集影印叢編　第49冊

【卜弋雲卷】

一片

上海：梁溪圖書館 1924 年 7 月版

卜弋雲　著

花木蘭文化出版社

國家圖書館出版品預行編目資料

一片／卜弋雲　著 — 初版 — 新北市：花木蘭文化出版社，2016

〔民 105〕

220 面；19×26 公分

（民國文學珍稀文獻集成・第一輯・新詩舊集影印叢編　第 49 冊）

ISBN：978-986-404-622-5（套書精裝）

831.8　　105002931

ISBN-978-986-404-622-5

民國文學珍稀文獻集成・第一輯・新詩舊集影印叢編（1-50 冊）

第 49 冊

一片

著　者　卜弋雲
主　編　劉福春、李怡
企　劃　首都師範大學中國詩歌研究中心
北京師範大學民國歷史文化與文學研究中心
（臺灣）政治大學民國歷史文化與文學研究中心
總 編 輯　杜潔祥
副總編輯　楊嘉樂
編　輯　許郁翎
出　版　花木蘭文化出版社
社　長　高小娟
聯絡地址　235 新北市中和區中安街七二號十三樓
電話：02-2923-1455／傳真：02-2923-1452
網　址　http://www.huamulan.tw 信箱 hml 810518@gmail.com
印　刷　普羅文化出版廣告事業
初　版　2016 年 4 月
定　價　第一輯 1-50 冊（精裝）新台幣 120,000 元

一片

卜弋雲 著

卜弋雲，生平不詳。

梁溪圖書館（上海）一九二四年七月十五日出版。原書三十二開。

一片
詩歌集
1924

一片

卜弋雲作

這裏是

我由我的好朋友處

——微星——

借來的

一片枯花。

我細細地鏤上羅紋，

獻到我哥哥脚下，

再獻到我未來的愛者身前。

一　片序　一

我不要求些指摘喲，
才向人世裏閒遊！
是同我朝夕相伴的梅花一樣：
春風來便開哪。

獻詩於哥哥　一雲

將到陽春，
　你快見
臘梅的清香，
　陣陣飛過了低牆。

你也應見：
　靑溪幾曲，
漾着了多少魚鱗；
　多少縈遶的思量。

你記否：兩人朝夕，
一　片

一片

同向夢裏高吟？
捉不到新詞，
權把來作片枯聲。
送這些些的墨點，
　藉那悄悄的微風；
嗅哪——淺淺的清香，
　看哪——香意的蔥蘢！

一片目錄

一片　目錄　二

一片　目錄　　　四

一片 目錄

一片之一

春幃裏的落花

春幃裏

春幃裏，
雖是有了香紋；
不見能屏得
相思萬種，
和千縷的閒愁。

春幃裏，
雖是有了新蘭，
怎禁得疏簾波外，
白梅花徐徐輕舞，
撲進了低闌。

一片

春暉寫

春暉裏，
　也便想到了春鄉；
在江頭西望凝眸，
　知那人兒得到了春寒，
　　便道是一寸寸的新愁？

落花

她在那闌珊春尾，
專足揉着了愁懷，
上兩兩的眉尖，
煎縷縷的新條。

把波簾鈎起，
看她從闌裏行來
撩上了相思，
也縮上了新愁。

一夜的東風消瘦了，

一片落花

[illegible]

儘餘着一縷香魂；
跟無主的楊花，
征彸趕上了歸春。

花朝已尾着春去，
再何堪夜雨頻催？
晨來數遍了花枝，
花兒已飛向了天臺。

一例兒的香魂，
把夢裏的相思驚挫；
聞說是春暮將歸，

魂呀！請將我領上歸路。

殘後的香魂一縷，
把波瀾認作了故鄉；
從枝頭飛碰着橫波，
也婥約輕舞而顛狂。

僅她能了解喲，
那腸斷的思量！
看她緩緩的輕飛，
不惹着花裏的鴛鴦。

一片 落花

莫是斷後的香腮，
她已隨春水西流；
敢偷了她的相思，
在夢裏延竚凝留。

春固欲打疊起行裝，
我的魂喲！你也捨我他往！
春去，花歸，在這兒的黃昏，
覺我獨個兒彳亍徜徉。

我憑弔着黃昏，
我也淚灑向孤魂；

且把那別後的離愁，

絲絲飛向了（春江的）江濱。

一片落花

[illegible]

一片　春鄉　凡

春鄉

在梅花飛候，
春日已將闌珊；
舊恨新愁都了，
心兒裏除却了相思，
　鎮日家都只記——
都只記眉彎。

新寒絲縷的，
凝思裏道是冰涴；
把昨夜的風鏤春蘭，
看有否紅絲深嵌？

呵！閬了的心兒只記——
只記着她的雙鬟。

伶仃的心兒，
已有了息止的新鄉：
那水雲快盡處，
月波裏的春江；
有一個小小兒的香魂，
儘是倚傍着深藏。
這是我的新窩，
魂兒已早早思量！

且也喚作了——
喚作了新返的春鄉。

呵！我的春鄉喲！
你莫是老在江上？
在雲水裏浮沈，
在月波裏飛颺。

悄魂兒喲！
把茜梅花再滲透些相思，
糌澹澹的雲波，
浮呵——

浮到了春鄉。

一枕香夢

一枕香夢，
縷縷飛向春江；
矑她的泫紅的淚帕，
矑她新積的怏怏。

夢裏的相思，
不堪喲！只爲思伊。
且愁過了明朝，
愛喲！你能否輕移？
耤我可愛的殘夢，

再與你談些兒時；
你能鋪些些花箋，
揷我曲字的相思？

白梅花

我的白梅花，
你今朝飛向誰家？
拋撇了懨懨的我，
又敢戀人家！

我的人兒喲！
你再莫輕輕譏誚；
假使你那人兒來了，
你不是讓我飄飖？

早春

在路裏野外，
都滿飛着了梅香；
雖不見她的履兒，
我已知她的家鄉。

低漾的柔楊，
印在那雲水的淸鄉；
更無論於飛絮，
枝絲尙未綻新秧。

只有雀兒的咭啣，

一片　早春

不聞燕子的歸聲；
在那淺水的蘆邊，
兀自兒匿足深尋。

那迷魂的春兒，
把相思挑上了心頭；
那縷縷的閒情；
那隱隱的新愁。

雪與梅花

我知道：
雪是戀那梅花；
悄悄的走來，
在她那唇邊，
絲絲的溶了。

我也知道：
我已戀了那人兒；
但我不敢，
悄悄的走到她唇邊作脗；
雖是我願意溶了呵。

幾　次

幾次沈吟，
雲時間飛上了淒涼；
將幾朶梅花輕摘，
但那人兒已上了春江。

我只是不欲相思，
但她偏故故鈎送；
雖如此呢，她能越過了——
長浮的雲水重重？

我心兒願隨了澗水；

我心兒願跟了雲兒；
但，雖使我正上富春江，
「…………」
嗳何補呢，我只欲思量。

你是愁腸百折；
想你別後的人兒，
已蹙了眉兒，在夢裏
辛酸的翹企春江。

薄倖

薄倖的春風，
不關心的
輕敷着花枝；
她便僅餘着
一縷無主的香魂。

相思

一

我欲託微波，
把我的相思、
向我凝眸處浮呵。
但江是東流，
能爲了我
一莖莖的相思，
紆迴向逆流麼？

二

蹂躪些別淚相思，

使屑屑的
　隨我的梅花粉片，
跟向水去的茜色流雲，
泛進了春江；
但切莫再沾些新恨，
使她添一番閒愁。

三

在她別後的秋波裏，
　閃着新貯的相思說：
消瘦了！
　端的是誰的多呢？

四

沈香新篆，
裊上了易惹的相思；
待背人捉起，
看：偏又絲絲的沒了呢。

五

我末由遠寄哪！
那一縷的相思。
您看！
　這裏是迢迢雲水的鄉啊。

六

我問你乞些相思：
僅是一瓣微花

在疎雨時候，
隔幾重低闌，
　背人的，
悄悄拋進了花間。

七

蹺踽在相思絲裏；
　再不記：
昨夜的冷雨着後，
　那我曾戀的梅花，
多少辭了疎枝。

八

　相思决絕了，

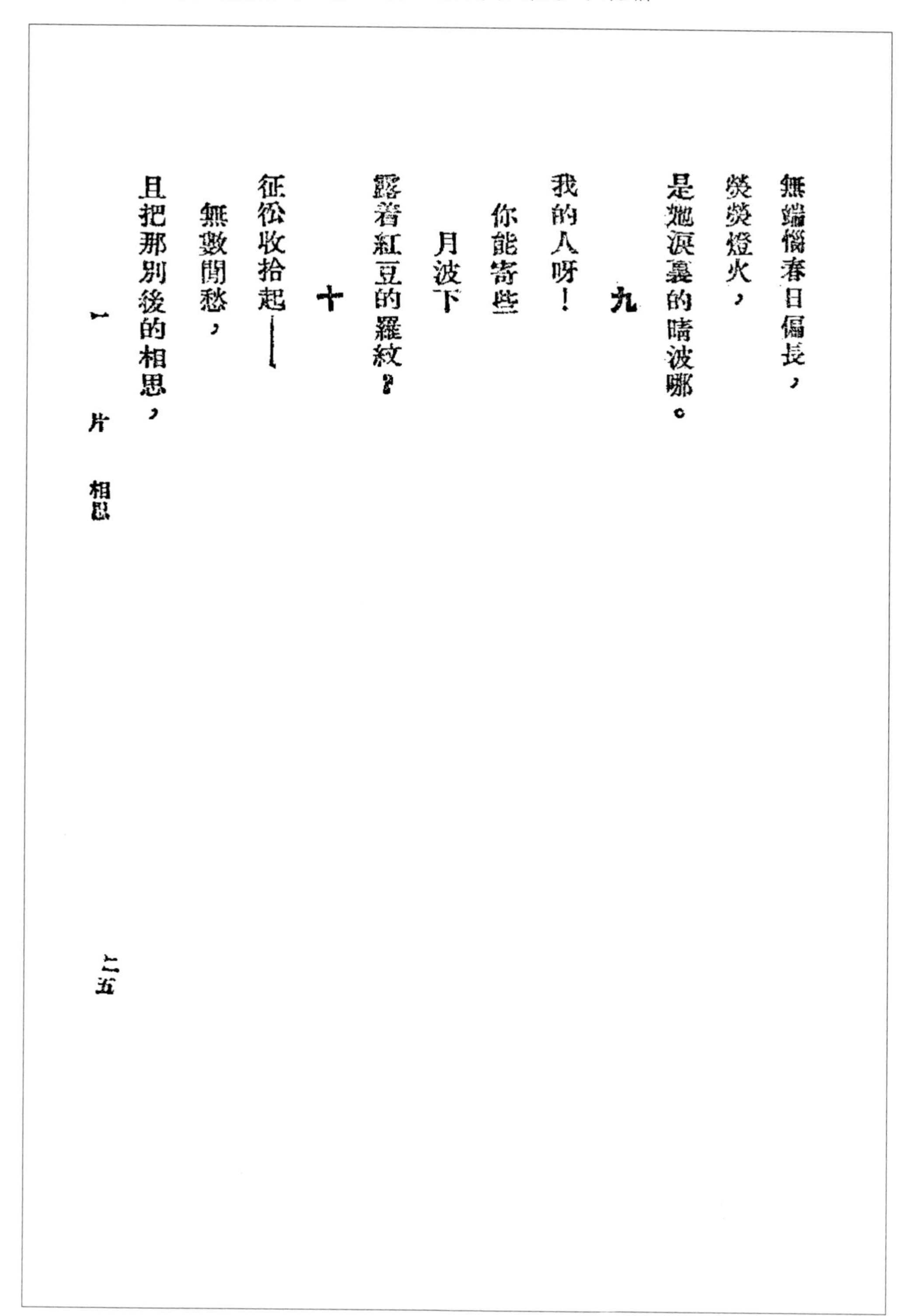

無端惱春日偏長，

熒熒燈火，

是她淚裏的晴波哪。

九

我的人呀！

你能寄些

月波下

露着紅豆的羅紋？

十

征忪收拾起——

無數閒愁，

且把那別後的相思，

一片相思

從頭理起，
藉月波裏微風，
悄悄的
送過了春江，
到她那夢裏的枕函邊，
依了鬢絲絲絲的繞罷。

茜梅花

茜梅花裏的相思，
只僅是她能了解罷！
伏在枕函邊，
理舊日過去的新愁，
微風絲絲過後，
她帶便輕輕告訴我了。

茜印的相思

噼烟的雲紋箋上，
波着些茜印的相思。
欲送到富春江岸，
奈微風不肯，故遲遲。

且倚着九曲的闌干，
把相思依舊路頻抽。
尾月波裏的新雲，
尾西去的江流。
看那依稀簾外，
影着了萬點飛花。

我不能託那些魂兒，
把相思送到了春江。

漫戚

這裏——
一片雲波；
煩我的魂喲，
且漾些——
漾些春蘭的香啊！

香魂

白梅跟水雲西去，
相思早交給了香魂；
爐裏的篆紋掩映，
把闌珊的心事頻驚。

倚着了輕幃無事，
且閒挑幾個花花，
與那伶仃的小伴；
絲絲想到了春江。

我們且卿卿我我，

再妹妹與哥哥；
想倆合茜梅輕舞，
在月瀧裏的雲波。

端的

端的是：
月波移着了花枝，
花枝頻掃着銀波？

端的是：
相思鉤起了新愁，
新愁惹弄着相思？

端的是：
她思量爲我，
還是我爲她？

風兒

簾外的花枝徐舞，
叫她（風）迎着了香魂；
「切莫沾惹些新愁！」
我也曾千句丁甯：

逡巡的入砌尋花，
輾轉的迎枝覓蕊；
你好事的春風！
時把女孩兒的鬢絲飛舉。

我魂夢裏的春江，

怕也是你的故鄉？
使囘家時有便，
請把我的相思波漾。

一片之二

歸燕之章

歸燕

夕陽斜照的青天，
新月又早已高懸；
棉絮般的輕雲，
却在灩激下頻遷。

不意幾行歸燕，
如梭穿過林間；

你爲甚悲愁？
你爲甚淒涼？
你莫是爲了思家喲！

一片

歸藏

你莫是爲了相思喲！
你權當延佇；
正對緩緩微波，
能把心兒飛往？

這兒是黃昏，
灰色的黃昏時候；
且亮了燈兒，
向床前影幌，
得個家鄉的夢罷！

二

夜闌

月兒已隱；
一片深翠的天空，
纖潔無雲；
還綴着無數的星辰。

促織在鳴；
陣陣清朗的微風，
送着清馨；
時復沁着了深心。

湖遊

煙痕一抹，
流水一泓。
我俯伏澗邊，
看魚兒遊泳。

亞波羅托着金盆，
猶夷在碧立山頂；
白雲迷漫的湖中，
又印着一簇花影。

枝頭輕繫的陰影；

迅流澗裏的明花；
芊芊的細草柔條；
任風兒飛舞飄颺。

柳絲兒不住的飛舞，
湖水兒不住的搖漾；
一角臨水的九曲紅樓，
漏出縷縷的茉莉花香。

小艇緩緩地迎着微風，
皴皺了十里的澄碧平湖。
看樓頭的酒帘飄颻閃越，

一片

湖遊

去

看湖中的花影重疊迷糊。

橋洞中漏出一抹陽光，
湖波上飛舞着萬粒銀沙。
輕輕的炊煙冉冉的蕩入雲端，
從炊煙中，又飛出幾點烏鴉。

雖是一霎兒的閒遊，
却沈醉了我
冷鬱的詩心。

——西湖遊後作。

新月

濛濛的半鉤新月，
輕輕的遮上薄薄的雲帷
銀艇般的她，
在蔚藍的天空中，
散漫無羈地遨遊；
還載着三兩的明星，
好像在私私的抱摟。

斜陽繾綣在山嶺的時候，
月兒已高高的航到天中。
天空漸漸的黑暗，

一片

新月

月兒的銀光愈益的溶溶。
在澄碧的水中，
又微微地起着輕皺，
抒寫她淒冷的幽衷。

八

飛燕

飛燕衝破了炊煙，
鑽向樹枝裏長眠。
高高的新月懸在簾前，
愈像是嬌羞靦覥。

誰愛誰憐——
可憐的我喲！
可恨的不是今天？
我潦倒的浮生，
好似飄渺的雲烟。

尋也尋遍了，

唉！你便得到了些兒麼？

思量

何必思量！
快與愛人攜手——
攜手徜徉。
沒功夫細理愁絲，
更有時候
　來將作端詳？
攜手徜徉罷，
　何必思量！

沈醉

一

何處的晴光，
從窗簾中噴進？
何處的詩音，
從心坎中高吟？

在晴光的窗裏，
在詩意的心中；
引吭高歌，
　啊，引吭高歌！
是怎樣沈醉的我！？

二

哦，沈醉！沈醉！沈醉！
得聆了美麗的詩音，
在美麗的時候。
哦！只有美麗的詩音喲，
在大地的聲韻裏沈吟。

哦！沈醉！沈醉！沈醉！
哦！偕愛人同上扁舟！
飛似的解纜航上天河；
在白雲的層裏翻騰，
摘星來作明珠。

一片　沈醉

我是沈浮在夢裏，
　你知道：夢是一切的飛鉤？
冉冉的月痕，
　裊裊到涼煙；
沈醉了，都在我的心裏，
　都在我的心頭！

蓓蕾

是雨滴到了蓓蕾，
不是蓓蕾迎雨；
却也開了花呵。
　愛呀！
我在盼你的雨呢！

當我睡着的時候，
也帶夢聽過你的詩音；
可是醒來了呢，
便一些些也沒有了。

一片

蓓蕾

是連綿不斷的相思，
在我的心頭縈遶。
連綿不斷的雨呵！
也在培養我
紅豆子的苗兒。

苦憶

記得那時：
嬌柔的陽光，
無力地湧上簾帷；
鉤起了心中——
多少別淚，
多少離愁。
薄薄的飛絮，
乘風舞到了樓頭，
都是來看我
寂寞的人兒，
兀自地

一　片　苦憶

腰支兒瘦。

到今朝

　芰荷早經凋謝，

　柳枝固自衰頹；

但我的她喲！……

　呵！我已給愁思挑逗。

呵！

　堂前的俏眼，

　樓畔的凝眸！

一八

不再懷罷！
將閒愁
都整個兒
給與飛鉤。

夕暮

敷着黃金的天空，
還漾着無數飛霞，
砌着薔薇花的顏色，
又間着淡白的晴光。

是烏鴉拂動了柳枝，
柳枝又不堪棲鴉；
只好等到了黃昏，
但黃昏總是淒涼。

生怕孤鴉寂寞，

弓月便來又彎彎；
帶着些兒寒意，
在一湖碧水兩堤間。

心兒

我的心兒穿着紅衣，
也像那紅豆子的苗兒。
摘取了罷！
愛呀！我送給了你。

送給了你呵，
不再飛來。
不要飛來，
請與你的同在！

你的心兒砌着相思，

我的心兒嵌着紅豆。
哦！是怎樣的魂消喲！
魂消？
但怕你我呵，
到魂消的時候，
都沒有魂了！

心兒飛去，
到你那邊鬪給同住；
在你胸坎中間
挖個深窩，
緊緊地偎倚着呵！

一片心兒

偎倚着心呵！

兩使沒有魂兒，
便個心兒也毀了！
心兒呵！裂出血漿來罷，
培養着你我兩兩的情苗。

呵！兩兩的情苗喲，
快同時的長起了喲！
開着一朵
　兩個小影的花兒；
兩個小影啊，

便是我與你。

這朵有兩個小影的花兒，
生在我們互挽着的心上；
從此後花兒也永不謝了，
多少總慰了我們兩地的相思。

花瓣

微風吹向庭前；
掀起了波漾輕簾，
問：簾外梅花多少——
多少憔悴？

啣將地上的清香，
請微風送向鄰家。
使太多了，
也便飄到波邊，
送向富春江。

富春江水？
無端添多少相思；
也使我幾回入夢，
臚你新瘦的身兒。

日暮

白白的半規缺月，
還道是一片飛雲，
跟着紅白的雲霞，
整齊地向上飛行。

斜飄着的幾朶青煙，
在那山頂之間盤旋；
燦爛的金光，
在山巔悄悄的瞑眠。

在離迴曲折的道中，

像是離迴曲折的愁腸，
步步蹈在青青的草上，
步步想着步後的思量。

月

誰說月不常圓呢？
今夜又已團圞了。
只恐她不缺，
便沒看她的窈窕。

思念我舊時家鄉，
月兒應也在平鋪草上；
記得兒時結了三五年少，
在月下拂地焚香。

我凝視着高高圓鏡，

亦許她是正在仰望；
愛呀！我們向月兒齊語，
月兒！你肯為我們傳揚。

天空裏沒有一些星雲，
天空裏沒有愛者徜徉；
可惜天空不是明鏡，
不然，也能見她長在的他鄉。

一片

一片桐葉，
在樹枝下迴繞；
待我寫上了相思，
再讓你如此飄颻。

你引着我的情絲，
飛向可愛的人間；
她會得凝眸流盼，
使飛到她的身前。

不戀枝的黃葉，

請來到我的懷中！
爲的是枯槁的心兒，
也不戀着愛人呵！

在長長的狹徑中，
都滿疊着梧桐葉兒。
爲什麽不飛過了高牆，
到那曠野裏徜徉？

是颭着湖光的微風，
與黃葉對語喁喁；
微風傳送些輕聲：

一片一片

三五

「愛呀！我是等到你今朝！」

心想飛到了人間，

做個快活的神仙；

飛是飛下來了，

又戀着枝上的翩躚。

球

白雪團似的球兒，
偶然飛過了高牆，
飛到人家的粧閣，
窺探窈窕的姑娘。

也有時下到水中，
同小小的魚兒遊戲；
在荷葉上徜徉，
與溫藻兒拖曳。

白雪團似的球兒，

也像小小的圓艇，
在水上浮沈激盪，
企望着那輪圓鏡。

有時親青草的嘴兒，
有時齊比天雲。
可愛的白雪似的球兒喲！
你能否帶我到天心？

晨景

幾處綠樹梢頭，
都薄薄敷着銀灰；
四圍景物濛濛，
才覺得今朝霧重。

捉不到的霧影，
嗅不着的聲息。
可憐這寒冷之朝，
只我一個人兒踯躅。

不見悲哀蹤影，

一 片

[illegible]

只浩渺的心懷。

愛人啊！來罷！

快欣欣的啊，我愛！

深思

西風吹徧江南；
看庭前落葉，
時舞向簾帷。
啊！愛人何在？

託起她呵，
撩萍葉時寫新詞；
而今才悟識了，
你萍葉似的身兒。

白梅花

淒清的長夜，
我孤獨的向
床邊几上的膽瓶裏的
白梅花切切私語：

白梅花喲！
你能藉微風
　渡過富春江，
到她那里
送你自己的香麼？

舊年今日，
你也惺忪欲夢罷……
今朝是冷呢；
且了此長宵，
細訴相思。

星

滿天星斗，
都給銀鈎鈎起；
閃爍的光輝，
黃昏裏鈎我的新愁。

怕花兒把風兒吹散，
可能迴護了花兒？
客氣些罷！
莫折了她婀娜的嬌姿！

微縐

微縐着雲波，
密舞着飛燼；
呵！秋風緊了，
試到樹下的隄邊。

愛者去的時候，
在此地曾共徘徊，
雖然是枯枝黃葉，
猶掛着曉來淸淚。

何日

聚會是在何日？
有誰知！
但每夜向天空皓月，
訴離詞。

倩春風作使，
帶些情絲；
爲儂與愛人作謝，
再請他催放兩三枝。

宿鳥飛就鐙下作

你是尋覓着光明，
可惜明鐙不照你前行；
我可憐的孤侶呀！
你眞是比我更寂寞，伶仃。

但爲甚不再留些時呢？
霎時就緩緩的飛了！
噯！你膽下的孤人，
只將淚珠兒暗搵。

我不自覺的傷心，

一

一　片

宿鳥飛就鐙下作

也更一半是替你嗚咽；
我寂寞路上的同道呀！
我們能不結個同心？

你在天空能結個同心？
我在地上能得些殷勤？
怕會在黃昏時候夢裏了，
我們且向夢裏行，行。

雲兒

看雲兒流動，
再回來寫我的新詩。
看我的詩呵，
與雲兒煙鶴同飛。

雲兒亂舞，
舞斷了疎煌。
在翠嫩的晴光裏，
煙兒正輕輕迴還。

不要

不要揀晴朝阿，
才向碧水裏遨遊，
看窗外一絲銀月，
時撩人愁。

我愛黃昏，
好向彎月裏盤桓，
幾許月魄，
却時窺探着塵寰。

我也愛明朗月夜，

應伊能夠我思伊。
伊呵！噯！你肯思我麼？
到明朝的月夜。

我想僅僅是些些思量，
你肯不吝的給我罷！
但請不要洩漏的封固了，
再寄到我的家呵！

青萍

今朝水上的青萍，
便是昨夜楊柳的飛花。
愛呵，請悄悄的過了罷，
這塵世的他鄉。

在清晨的霧裏仰望，
太陽却變了嬋娟。
我願在石欄橋上，
時覘來往漁船。

你看一湖碧水，

攏滌着無數山尖；
小小兒的遊艇，
却時在山影裏流連。
何處是柳絮飛處，
何時是梅子開時？
可依舊是
一泓清水，
一道長堤。
我有些依依不捨的回來了，
但是晴光裏的西湖，
一片青萍

一片

青萍

可不依戀着我喲！
只有絲絲寒意的微風，
追着我送到了家鄉。

——西湖遊後的雜憶。

贈友

我蹈下了苔階，
微風送我些
　些些的輕寒；
應是我的眞情熱我，
在室內啊，
　只暖融融地，
　　了不覺風來。
今年能尋幾宵呢？
再在君室裏談衷。
但每夜的晶盈明月，

一片　贈友

也應將話兒向你我傳送。

我每道黃昏是鈎愁時候，
今朝呵，友喲！也爲解愁眉，
回家後喜看新月，
獨自逕上樓頭。

雪絲

皺上了幾山雲霧，
在那皺皺的湖紋；
雨珠同舞了飛花，
點點打着了枯萍。

枯萍開尾着輕船，
走到臘梅的香林；
雨露權當了淚珠，
將雪花飛上了梅領。

西風吹起了重幃，

一片

雪絲

叫我看窗外的飛花；
雪絲兒喲！我問你，
鎮日價飛向誰家？

相思之章

相思

天公弄我：
把相思儘自鈎撩。
戀我親愛的天公莫擾能！
我也不用鄉愁；
——鄉愁外，
我更無他；
僅是這些些，
天公是吝這些些麼？

風

你皺了湖紋，
你低了柔茵，
送愛者的微波，
吹桂子的飛英。

也虧你把青煙送上雲宵，
也虧你把花香泛上蘭橈；
謝你送到了相思，
謝你吹散無聊。

你是悽愴，

但何消鎔我愁腸，
是否是芙蓉謝了，
怨我今宵無恙？

看對面的粉牆上，
風兒颺弄着花枝；
我的愁絲縷縷的，
也與花影兒同移。

你聽否柝柝更聲，
頻催我快向夢裏沈吟。
「寒梅已數枝開了！」

「在那春暖的明朝！」

木香

擁着被兒，
斂了心兒，
闔了眼兒，
　默默的想罷：
　悄悄的。

想着了新霞；
想着了湖光；
想着了山林清色，
　輕霧般舒放；
并也想着了她——
一片木香。

一片

木香

她那神往的芬芳。

她的清睞，
是電光的一閃，
有月兒的溶溶。
雖是沒有呵，
却早印着了深痕。

想起了木香：
白白的瓣兒，
小小的花兒，
叢簇在枝頭，

輕舒着香氣的淸奇。
記得她折短枝綴上長巾，
淸香送來些些，
令我魂兒飛上了天空。

想到鏡前，
時弄雙眸；
微風送些新涼，
想不到
竟鈎起你淸淚，
我淚珠兒——
只是背地了偷咽，

一片

木香

悄悄的；
只月兒倍伴了伊人。

木香初着了新露，
她也應有着淚珠呵！
不折罷！
讓微風為你吹開，
放些清香，
吹到了
她的懷中。

丟個

丟個圈兒罷，
用淚珠結起的銀圜。
有柏枝的青刺，
浩渺的明波。

可愛是不在何如，
且看那銀青的些些。
讓我沈浸罷！
請來與同倚。

雪珠兒

微風飄拂着裙襇，
對對的俯仰翩躚。
恨呵！孤寂的人兒，
不病呵！也得懨懨。

還是多情的雪珠兒，
愛撫着我滯恨的夢魂；
也虧是風兒有意，
吹到窗外聲聲。

不忍

不忍折她；
　且讓風兒，
儘量地吹罷！
不忍尋她；
　且讓蝶兒，
　儘量地吻罷！
獨她不願呵！
她只戀着了……
　但戀着了誰阿？
她雖戀着了我，（？）

一片

不忍

只默默悄悄無聲。
我也依依的呵，
可也默默悄悄無聲。
默默的，
悄悄的，
無聲？

唉！
蘊着想思，
裹着相思；
都任過分的風兒，
悄悄的輕撩；

風兒不解事，
　不得送相思；
但，何苦呢，
　都只默默悄悄的無聲？

都只是默默悄悄無聲。
你是覘着我的身兒；
可我呢？
只覘着你的影兒啊！
　也虧是月兒，
不呢？
　到影兒沒有的時候，

一片　不忍

我將怎樣的淒涼！
我也忍獨個兒，
　獨個兒嗚咽；
可也不忍呢，
　你那默默悄悄的無聲！

我見你在牆兒上飄颻，
　但牆兒是高阿！
我見你在枝兒上微舞，
　但枝兒是嫩呵！
不能攀罷！

忍折嗎？

對着相思滴淚罷！

但爲甚——

你見了我，

又默默悄悄的無聲？

我是默默悄悄無聲？

我獻了相思；

我獻了殷勤；

我獻了多少淚珠兒！

但你總却了呵！

却也罷了！

一　片　不忍

不過誰教你的啊——
　你那默默悄悄的無聲？
你應不在牆上了，
　但我是凝弄着銀輝！
你應不在枝頭了，
　我總望着枝首兒凝睇！
你總應見我罷，
　但又爲甚
　　偏總默默悄悄的無聲？
把沾着的露珠兒給我罷！

讓我親她；
因她曾親了你的臉兒。
也帶便請把芬香給我——
稍稍的也毀了！」

默默的，
悄悄的，
無聲！
我再求我親愛的微風：
「快點傳來，
輕輕的也毀了！」
但風兒吹來——
一片不忍

一片

不忍

吹來了默默悄悄的無聲！

——致我的木香花。

何處

何處暮砧敲響，
在石欄第幾橋邊。
看山外皎皎明月，
時時拂弄着山尖。

你看那月裏姮娥，
影出了一片銀光。
遠遠的棹聲歌響，
黃昏裏分外悠揚：

我們試採朶蓮花，

一片　何[illegible]

但却沒有殘荷；
有的是憔悴的枯枝，
在月光裏的微波。

我們試摘些兒椰絲，
不料都給了風兒；
清霜似的光裏，
映着了多少殘枝。

我們是孤苦了？
不，還有鐸樣，
還有月娘，

還有銀沙。

我們要歡歌，
這水裏的雲窩。
將煩惱拋往雲霄，
我們且樂了今朝。

我們看彎彎煙霧，
曲曲地舒向山巔。
我們能作片輕雲，
時在銀波裏流連。

一片

何[illegible]

不再逡巡！
在啾啾人世，
多聽塵聲。
阿！不再逡巡。

羅紋

悄不聞聲的一夜，
花影參差的牆上，
印着了多少的羅紋。

我不理羅紋
是否是相思，
只道我黃昏的夢，
悄悄的，
悄悄的，
沒個人知的
赴向富春江。

雲

淺藍的天空，
何來些些
裊裊的茜雲；
請便罷！
東，南，西，北，——
飛行。

遊留下作

天公作美，
今朝留下了晴朝，
行于羊腸曲徑，
喜絲拂上了眉梢。

行，行，彎上了山徑，
喬松招凝着輕雲；
迤邐的深徑難認，
青溪呵！你請爲我作引。

青溪浮上了羅紋，

一片

遲留下作

影出了多少微花；
淺碧深明流水呀，
何處是你的家鄉？

滿地是枯葉碎影，
無情，不留聽與殘聲！
「怕你把殘聲聽了，
傷心感着伶仃。」

暮天敷上了明霞，
再向舊路裏蒼茫；
別了深溪，窄徑，

又向灰色裏徜徉。

一　片　遊留下作

黃昏

些些淺明彎月下，
繫着了一顆青星。
中間像微絲繫住，
被驚風閃蕩輕輕。

這何如我的心魂，
在她那懷裏深深！

任我凝眸的金星喲！
你也尋到了我的她麼？
路太遠了，

金星怕不聞我的聲息罷！

春風告我的故事

在霧羃露上，
鳳尾披上了鮮衣；
惱陽光逡巡久久，
絲痕霧露，飛飛。

臘梅的飛香；
是爲她加了
　幾重相思；
不憶去年麼？
潦倒的春詞。

我披上了春粧，
是爲你那
不息的相思，
請稍稍斂翼喲！
我可愛的人兒！

春風告我的故事，
太多了，
我只記夢裏的相思，
便沒再空的功夫。
恕我罷！
春風！

等相思絕後，
　再聽你訴說：
舊時過去的
　新愁。

歸思

——代友作。

穿上了山徑，
走上了田壠；
有些草兒青青，
有些臘梅花風。

這裏是柵欄迤邐，
這裏是水月玲瓏；
記來時曾從此地折柳，
如今柳已惺忪。

一片

歸思

九〇

踏渺渺銀波，
把來時舊路頻尋；
忘記了灘上沙印，
如今已杳渺無痕。

來時疏柳成行，
歸時臘梅花香；
把個花圈兒獻上，
愛呀！半年來憂思心傷。

心兒裏沒別念；
只是思家，

且思我的她喲，
今朝可備了新粧？

舊路在夢裏，
曾惝怳的微行，
不意今朝喲！
正向夢裏深尋。

臉兒加瘦了，
他鄉是不比家鄉。
鄉鄰問：日來好否？
臘梅已開蕊成雙。

一片

露嶽

今朝的喜鵲，
昨夜的燈花；
卜遠征的行人，
當在船裏思量。

送子雲返里

故人歸去，
路上當折些
梅香遙贈，
贈我親愛的故人。
但花兒是不開，
能稍駐幾日？

君歸去，
看銀波碧浪，
映上了新新彎月。
新月中，

記取他日，
故人曾對凝眸。

新愁是別恨，
遠上了眉彎；
情君上故鄉，
爲帶莫愁來。

祈禱

我企我愛者的提攜，
才重重跑到了人間；
但希冀愛者的睛球閤了，
雖辛苦地跑到人間，
可愛者已走入了
另一人間之路。

瞎的詩人跪在森林裏，
默默的向心靈祈禱了；
在我面前的只是虛無，
心靈！你，

一片

蘅魂

我——可憐的罷——也看不見了。
但熱的心沸了，
願我奏出了
心的高歌。

月兒怕已照臨了罷；
——她怕是重裹的白玉罷——
是怎樣的她——
清愁的窈嫋喲！
她也宛如我的她一樣；
回眸卽是的，
却終於望不到呵！

假使我是淩霄花，
她便是青青松樹；
我是依她爲命的喲！
但終於松樹是倒了；
——不偶然罷。——
雖然依了她
光輝百出的我，
終也默默的憔悴了。

假使在無盡的清溪裏，
我便是一隻小小的紙船；
承她的允納，

便終日的浮漾在。
雖然有晴光，
　月光，
終敵不到她給我的愛——
眞的，
　她的心不給我，
但我只隱隱的感念罷了；
　但清溪終於是涸了，
船兒也終至於飄流。

隨便怎樣，
　畫的她就等於

我的生機。
我願傾盡我的淚，
從淚裏——
再瞎尋罷。
淚呵！
流過了人生之路，
向我的她那裏旋繞。
不受呢，
我也便
通知你，
你便慘悽的回來，

醒了你主人
久久的戀夢。

心魂

心魂似向我語，
我並沒有愛她；
雖是鐫上了深影，
在心坎的中央。

月影也向我語，
我並沒有愛她；
那心坎的微絲，
爲甚向她那裏飛喲！

她不愛我罷。

但我並不說：
　我並沒有愛她；
心魂——
　月影，
兼伴了淒涼。

想她是在夢裏，
夢果邀誘了她來；
但我並不想說喲！
我的心兒，
　已向她那里飛往，

舊憶

舊憶是渺茫了。
在銀白色的早上，
手裏是纓着香篆的杯兒，
杯兒裏盛滿了菊花茶——
——是我愛的流呀！
有那樣的清澈。
幾個月不喝了。
呷了——
今朝才記得——
記得曾向她
那搖籃裏索睡，

一片

蓀憶

絲絲的夢了；
如今想她那裏，
那裏是夢境罷！
〻是飛灰？
把清新的青茗，
送了梅花；
不再憶了，
眞的也不堪再憶，
不忍再憶了。

水紋

薄薄的洋鐵盆，
盛滿了清水，
從底裏一擊，
霎時間
幻上了無數花紋，
這差堪比擬我
送與我
愛者的相思。

故鄉

從回憶中，
使屢屢的想起了
我的故鄉。

故鄉！
在我的心頭印着，
一如星夜的花影，
糢糊的在牆上飄颻。

春寒

斜倚的梅花，
在凍雲時候，
抖抖的
捧上了清香。
冉冉的篆煙，
撞着了疎簾，
靠冷風的吹噓，
便霎時的飛了。
瓦上的銀霜，

一片　春寒

迫我早起，
看昨夜
　春闌冷了否？

薄薄的陽光，
　穿過了疎簾，
影上了千百紋線——
　也是抖抖的；
是我的相思紋路啊！

把雪絮浸進了相思，
牠也溶了啊；

一〇八

但小孩兒喲！
須記住了雪絮，
須是有情的。

雪絮稍稍飛了；
她道是白梅花片，
手輕輕的碰着，
溶了！

折了梅花，
與鄰兒輕輕的
偷玩冰絲；

一片

春寒

我愛她極了；
梅花呢，
已贈了她了。

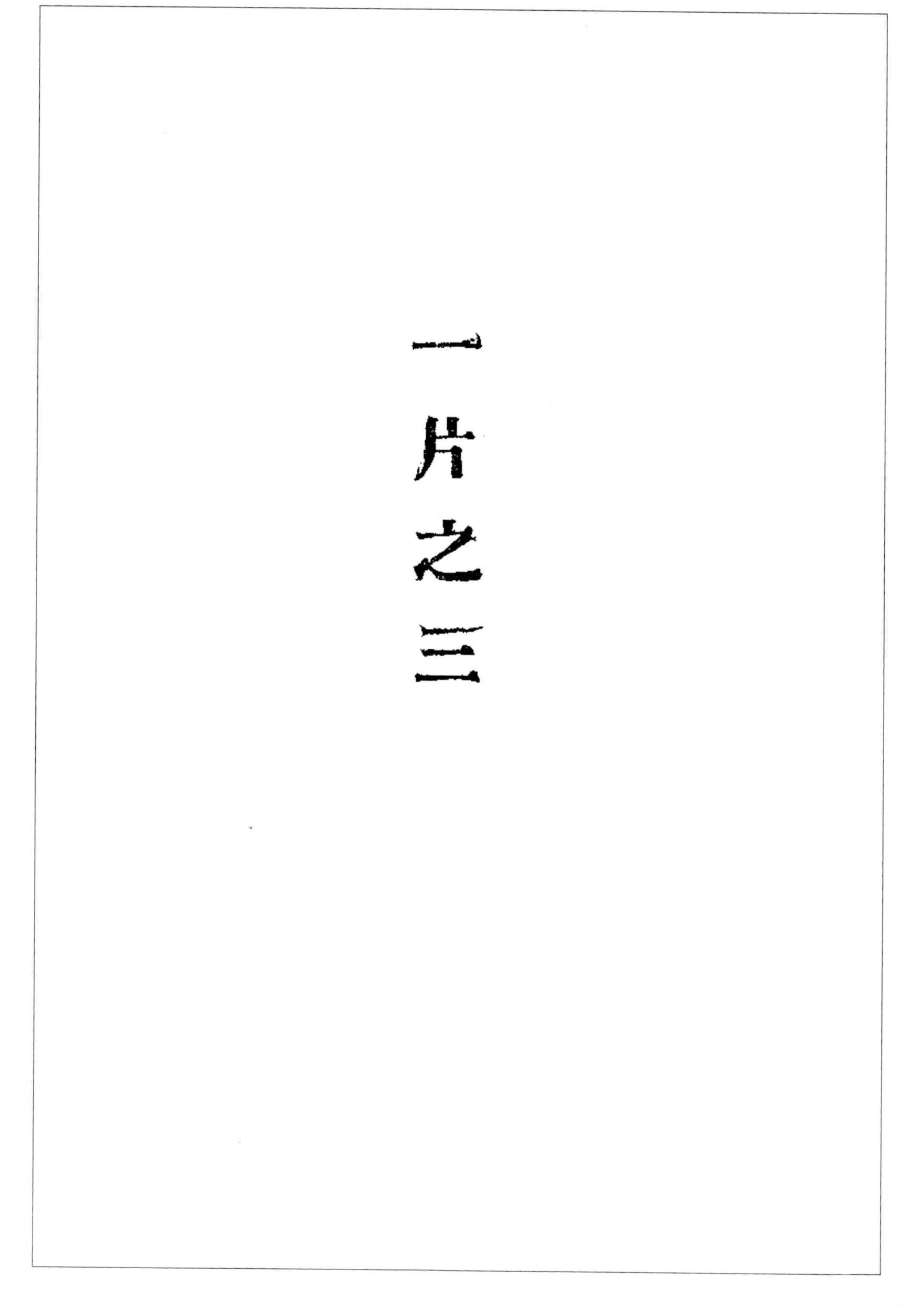

一片之三

別淚之章

別淚

一

沒有別淚，
只倚樹隨搓些梅花；
意將如絲的離愁，
辛酸的搓了罷！

二

日光薄了，
遠的，遠的，蒼茫；
我不認得東，南，西，北，
只曉得你在富春江上。

三

一片

劉渢

二

我夢裏當所
　渺渺銀波，
爲我載相思，
走上了迢迢遠路。

四

你去了。
　僅令我聽別人的聲音，
　——省力的——
不狐疑：
　「是你罷？」！

五

她啊！

在在都引起我
明珠般的淚，
淒冷的心情。

六

輕輕地映着湖水，
問：
我的影兒，
怎的會
這般消瘦了？

七

柳絲呵！
今又新涼，

爲甚不將你

　柔細婀娜的垂條，

將我的愛人

　絲絲的縛住了呢？

八

離別有什麼苦惱呢，

我只愁

　沒得再離別了。

九

閃着銀痕的簷溜，

斷續的愛者的淚珠呵。

十

去了！

只剩下了梅花，

悄悄的；

月兒是無言，

但梅花能語麼？

十一

在白紙上寫滿她的名字，

復染透着無數淚痕。

我可愛的愛人，

也似沈浸在這可愛之中了。

十二

路兒雖不遠，

心兒却正是迢迢，
所喜的，
夢兒是近呵！

十三

明綃鋪在，
只靜靜地沒個人來。
縛着紅豆的金魚，
抖抖的顫動了淸波，
儘流着細的，
　細的羅紋。
牠是相思使者呵，
正導着我的相思喲，

十四

我將我久久的相思，
絲絲地鋪在
平勻明潔的玻璃上；
這是容易被她看見，
也容易被她磨滅的。

十五

青苔依附着銀牆，
本是銀牆戀她罷！
但，愛呵！
你能接受了我麼？

十六

天上繁星都賀我，
都賀我伶仃！
試覽天空，
青青的，
漾着了
　零星的
　多少浮星！

十七

不問是鐙花結來，
總替伊數着
幾時？
　才是歸期。

十八

不相關能！
爲什麼
別了又縈迴相戀呢？

十九

我一次叫你一聲我愛，
便一次把你的影兒，
在心兒上印在，
愛呀！你的影兒呵，
都浸在我的淚中了。

二十

遶次三番，

回頭用眼波追到愛者，
但眼波是少了一個小小彎鈎呵！

二十一

剗意向黃昏裏走罷！
因爲所得的歡樂，
比日裏終多些。

二十二

兩下裏，
鎮日價
都是愁眉，
恨
微波流迅，

不爲載相思。

二十三

飛鴉是

也解送相思，

但伊不肯罷！

——只恐。

二十四

窗外的星兒，

是她的睛波，

時又羞澀的瞟我。

二十五

固不必惝恍的問喲：

一片別淚

「你能似海棠麼？」

二十六

臉龐兒瘦了；
是惆悵着，
彷徨着，
恐心裏的相思，
沒有承受的人啊！

二十七

我向魂兒自語：
你不要繫念她呀！
她是香上的飛煙，
你是爐餘的灰啊！

飛影之章

飛影

一

媽媽的懷呢，
心坎裏的心呢？
哦！
是飛絮的飄零，
是秋葉的枯凋吶！

二

我悵望着雲端，
永莫見有伊的雙影；
更將何處，
覓着了伊的心呢？

三

滴滴的雨聲，
　不住的安慰着
寂寞的靈魂。

四

夢裏去！
　朋友呀！
到夢裏去，
　尋更甜蜜的人生！

五

獨步街頭，
看蔚藍的天，

儘航着五色的輕雲；
願世間的寂寞煩惱，
都跟她飄渺地飛行。

六

傾不盡的相思。
傾不盡的愛，
只一雲兒，
在驀然凝觸的
眼波裏完了。

七

花間的露珠。
水上的浮漚，

只一霎兒完了；
還值得我斤斤牽戀麼？

八

幾堆楊柳似的在春光裏蕩漾着的人們。
——夢得中——
在蕩漾着春光的湖裏的人們，
好似已泛過了悲哀。

九

深夜朦朧中，
　聽着雨聲，
似是能記得的兒時，

在母親的懷裏，
所聽的兒歌一樣。

十

這巡間，
她的迴眸，
曾向窗前；
這時，
我的心兒便兩樣了。

十一

雖然明燈擎在我的身前，
却看不到下方的黑暗呵！

十二

還是闔了眼膜罷！
分別什麼人世的好惡呢。

十三

我不解還是留住光陰，
還是讓光陰流去。
光明與黑暗，
便是光陰的報告麼？

十四

偏在心頭的，
爲甚只是閒愁。
恨花兒飛了，

不給我一點相思！

十五

雖使是密密的雨，
也不能
　灑遍了小小的明池。

十六

小小的枯萎的花片，
僅餘着蜂蝶吻過
　多少的微痕。

十七

小孩是美麗的春天，
過了便花兒般凋謝了，

也便沒絲兒痕迹。

十八

是一般的灰色呵，
　在這微雨的黃昏！
不過我也知道：
　那兒是
　　保俶塔的塔尖喎！

十九

杜鵑是不喚歸去，
只學着我喚她的「歸來」

二十

向頹垣茅舍邊，

荆棘叢中——

找紅紅的玫瑰罷。

二十一

請投片花瓣罷！

隨瀑布的潺潺汩汩；

流向人間

作楊柳枝頭水呀！

二十二

是口琴上的新韻，

是磁杯裏的香茗，

香篆似的遶上心頭，

却不如香篆的易散啊！

一片飛影

三

殘片之章

殘片

一

等詩音殘後，
請爲我綴上了
淒清哀冷的心兒，
向她那懷裏深鈎。

二

我是他鄉遊子嗎
家鄉原在身前。
在身前了，
　但爲甚又
終日裏慨慨？

三

夢裏的心兒，
　仍惦念着伊；
能飛過從枕上，
　到銀漢的漣漪？

四

我掇個花影的花朶，
（夢裏是應猶未央。）
隨白雲載上家鄉，
（——家鄉何處？
　在我伊的身邊。——）
在澗溪邊，

石磴上，
木香花間，
找我久久夢想的她。

五

飄飄的，
已經吻她的手了。
我沒見她，
但她明明是
在我身傍。

六

流水的潺潺；
玲瓏燕子的歸返；

黃色薔薇的再開；
哦！
我正是空費了
流水青春的夢呵！

七

在煙霧裏，
映出了幾樹垂楊；
垂楊的絲絲，
併作了一般相思。

八

我願拋棄了
她的媚眼，

我的青春；
我願拋棄了
那以外的一切罷！
只求延長了些些
那夢的延長！

九

收拾起
舊恨新愁，
整個兒
都給與殘花。
怕：
汚了花兒，

更平添一段快快。

十

湖紋的縐縐，
縐上了鐙昏時候；
縐縐的湖紋，
唉！
我倆在一片裏平分！

十一

月兒蒙上了輕綃，
這兒也變做了
輕綃世界；

數着了花枝，
　更數了幾重的想思。

十二

歸家後的殘月。
依然是依舊朦朧；
微風拂上了梅香，
吹過了襟邊——
使輕輕飛過，
　也足彀我的魂消。

十三

砌多少相思，
在那重瓣的花間；
慘透了香花，

露出了一抹輕霞。

十四

今年（一九二四）十七，
斷送了兒時；
往憶在我的夢魂間，
是兒時境狀呵！
但兒時的故事，
可已不連續了。

十五

清貧如我，
到今朝也
沒有梅花；

但借我隔院的鄰家，
送我數日的淸香。

十六

滴！
雪珠滴上了窗櫺；
尋殘夢裏的她，
夢兒是惺忪
能追尋去路麼？

十七

從人生裏，
歸路是迢遙，
在這裏

且尋求愛者罷！

十八

心裏縈繫的，
是飛灰的塵路呵！
知道她從這路裏去，
但來路是何處？

十九

荒涼，冷路，
殘夜的悽憮；
露溼了髮絲，
　今宵冷了。
但企望的人兒何處？

但企望的人兒何處？
　向茫茫的山路遙矚，
有些兒人影麼？

二十

青心何處是？
向蒼茫煙靄裏存身。
看一湖緲緲湖紋
也爲我緲上了伶仃。

二十一

微風輕飄着，
飄着了鬢梢；
　將臉兒疏疏印上；
風裏不帶了愁絲，

只送來萬點相思。

二十二

要一幅明綃麼，
送愛者裁作衣裳？
他是褢着了輕輕，
輕輕的珠淚成行。

二十三

滿天是淺藍遮嵌，
嵌上了愛者微波；
能化陣裊裊清風，
攪取來到心窩？

二十四

多一顆臘梅，
於我是
多一線愁絲。
風兒趕走了清香，
用手雙雙揉，
都沁上了深心。

二十五

我將化朵涼煙，
飛到她裊裊身邊；
在頰兒上深吻，
向心坎裏頻拼。

二十六

琴絃彈上了心絃，
悠揚到愛者心間；
爲下明珠萬斛，
向殘片下瘗掩。

二十七

牕邊臘梅，
拖住了冬光
　多少的殘痕；
只明波深深瘗處，
——不解冬光，
　也不解春光——
何止今夜凝眸。

二十八

尾着了風絲，
向着臘梅花
枝頭飛繞，
誘了清香；
但愛者何處喲！
就是匆匆的。

四十九

誰的人生，
有春來的花那
「一刹那」呵？！
來去總匆匆，

只費了青春的夢哪！

三十

淚的晶瑩，
　是她所付與的呵！
多謝上天！
　所得到的比她又多了。

三十一

花兒全放了。
留心！
　當走進膽瓶呢，
　　那藍的花的膽瓶呢！

清香的密意，
　密意的清香，
問他能領略了？
　假如花兒聽見了，
請記那枕兒邊的偎倚。

三十二

霏微的鋪上了銀花，
道是矓時月夜，
庭裏的清光。
愛呀！
　我求你的睛波，
　注向你的家鄉。

三十三

夢裏是春天，
如今又逢到了新春時節；
我的確是不怕勞煩，
早送春歸，
　再送了春夢，
　和靑春歸去。

三十四

裊裊琴歌，
飛過了梅花院落，
走到了重幃。
　他是帶

相思的使者呀！

三十五

一夜的春風，春雨，
斷送了花朝；
使今夜依舊，
她的枕函邊，
應添多少新痕。

一片

殘片

四二

中華民國十三年七月十五日出版

全書一冊

定價四角

一片

◁詩歌集▷

版權所有

著作者　卜弋雲

發行者　黃濟惠

印刷者　梁溪圖書館

總發行所　梁溪圖書館　上海棋盤街中市

特約發行所

北京佩文齋書局　長沙文化書局

太原晉新書社　成都中國圖書公司

重慶唯一書局　揚州有正書局

長沙湖南印書館　武昌時中合作書局

△各省大書局均有代售

花木蘭文化出版社聲明啓事

此次《民國文學珍稀文獻集成》出版，有賴各位作者家屬大力支持，慨然允贈版權，遂使這巨大的文化工程得以開展。我社全體同仁在此向各位致以誠摯的謝意！

由於民國作者人數眾多，年代久遠且戰火頻繁，許多作者已無從知其下落。我社傾全力尋找，遍訪各地，能夠找到的後人，得其親筆授權者，爲數甚寡。更多的情況是，因作者本人下落不明，連版權情況都無從知曉。

因此，我社鄭重聲明：

此叢書所錄專著，凡有在版權期內而未授權者，作者家屬可與我社聯繫，我社願奉送相關贈書 50 冊爲報酬，補簽授權協議。

叢書第一輯，版權不明作者名單如下：

李寶樑、朱采眞、黃俊、汪劍餘、ＣＦ女士（張近芬）、王秋心、王環心、謝采江、曼尼、歐陽蘭、陳勣、沙利、卜弋雲、陳志莘。

望以上作者之家屬看到此通知後與我社聯繫。

聯繫信箱：hml@vip.163.com

花木蘭文化出版社

2016 年春